EL BARCO
DE VAPOR

Cómo escribir
realmente mal

Anne Fine

Ilustraciones de Menguao

sm

fundación sm

**La Fundación SM destina los beneficios
de las empresas SM a programas culturales
y educativos, con especial atención a los
colectivos más desfavorecidos.**

Si quieres saber más sobre los programas
de la Fundación SM, entra en
www.fundacion-sm.org

LITERATURA**SM**•COM

Primera edición: septiembre de 1998
Cuadragésima cuarta edición: agosto de 2022

Dirección editorial: Berta Márquez
Coordinación editorial: Carolina Pérez
Dirección de arte: Lara Peces

Título orginal: *How to Write Really Badly*
Traducción del inglés: María José Guitián

© del texto: Anne Fine, 1996
© de las ilustraciones: Andrés Arcos (Menguao), 2017
© Ediciones SM, 2017
    Impresores, 2
    Parque Empresarial Prado del Espino
    28660 Boadilla del Monte (Madrid)
    www.grupo-sm.com

ISBN: 978-84-675-8926-9
Depósito legal: M-9025-2016
Impreso en la UE / *Printed in EU*

1
UN PUPAS

Yo no soy un tarugo. Ni un estúpido intergaláctico. Ni se me ponen los ojos llorosos, ni moqueo cuando me ocurre algo malo. Pero confieso que, cuando contemplé la deprimente ciénaga que iba a ser mi nueva clase, me eché a temblar. Sí. Definitivamente, me había convertido en un pupas.

–¡Atención, niños, buenas noticias!

La señorita Encarnita dio una palmada y se volvió hacia las filas de ojos apagados que me observaban por encima de sus pequeños y mugrientos pupitres.

–Este trimestre tenemos un alumno nuevo –añadió–. ¿Verdad que es maravilloso? –dijo con una sonrisa–. Aquí está. Acaba de llegar de América y se llama Martín Vicente.

–Vicente Martín –la corregí yo.

Pero ella no me oyó. Estaba ocupada echando un vistazo por el aula en busca de un pupitre vacío. No me molesté en repetirlo. Pensé que ya saldría de su error. Así que me limité a llevar mis trastos al pupitre que me señaló, en la última fila.

–El que está a tu lado es Javi Pastor –indicó la señorita Encarnita.

–Hola, Pastor Javi –murmuré mientras me sentaba.

Era una broma. Pero, evidentemente, él todavía era más lerdo que la maestra.

–No me llamo Pastor Javi –susurró–, sino Javi Pastor.

En aquel momento, yo no tenía la energía suficiente para explicárselo.

–Ah, bueno –repliqué.

Y el alma se me cayó a los pies, estableciendo así un nuevo récord personal (y posiblemente mundial): menos de cinco minutos para odiar un colegio. Me he mudado más veces de las que hayáis visto *Barrio Sésamo*. He sobrevivido en colegios llenos de empollones, en colegios donde todos son aficionados a los deportes y en colegios en los que los profesores se agachan para ponerse a tu nivel, mirarte fijamente a los ojos y preguntarte cómo te sientes realmente. Incluso sobreviví durante cuatro meses en un colegio en el que nadie

hablaba mi idioma. Pero nunca me había caído tan mal un sitio así de pronto como La Mansión Araiz (Escuela Mixta).

¡Y vaya mansión! Creo que el edificio lo diseñó alguien que estaba acostumbrado a hacer depósitos de cadáveres y mataderos. Las paredes eran de color marrón y verde brillante (y gracias a ese brillo resultaban aún peores). No habían limpiado las ventanas desde 1643. Y los dibujos que adornaban el aula parecían babas de cerdo.

Pero, en fin, ningún lugar es perfecto.

–¿Qué tal es? –le pregunté a Pastor Javi propinándole un codazo.

–¿Quién?

–Pues ella, ¿quién va a ser? Ese vejestorio –aclaré, señalándola con la cabeza.

Él se quedó mirándome.

–¿La señorita Encarnita? Es muy simpática.

Entonces me quedé mirándole yo a él. ¿Mi nuevo vecino estaba mal de la cabeza, o qué? Ahí estaba esa cotorra, dale que te pego sobre quién iba a encargarse de borrar la pizarra o algo así de emocionante, y Pastor Javi ¡la estaba alabando! En aquel instante supe que La Mansión Araiz (Escuela Mixta) era uno de esos colegios en los que todos los alumnos se ponen en fila para hacer algo verdaderamente excitante, como abrirle la puerta a un profesor. Uno de esos colegios en los que, durante el recreo, todos se lo pasan pipa jugando con algo tan genial como una silla rota.

Observé mi reloj.

—Seis horas —farfullé sombríamente—. ¡Seis horas enteritas!

Javi Pastor se volvió hacia mí.

—¿Seis horas para qué? —me preguntó.

—Para protestarle a mi madre —le contesté.

—¿Protestar de qué?

—De este sitio.

Perplejo, Javi frunció el ceño.

—Pero ¿por qué protestar?

Y tenía razón, por supuesto. ¿Para qué molestarme en protestar? Nunca me lleva a ningún lado.

«No solo me casé con una mujer, sino con su trabajo», dice siempre mi padre.

«Pero yo no me casé con ella —replico—. Así que ¿por qué tengo que sufrir yo?».

«Podría ser peor —me advierte papá—. Podrían despedir a tu madre. Entonces, quizá nos quedásemos aquí para siempre».

Eso me calla la boca en el acto.

—Ya verás como esto te gusta —me comentó de pronto Javi—. Hacemos muchos trabajos manuales.

Contemplé los dibujos que parecían babas porcinas.

–¡Ah, qué bien!

–Y nos lo pasamos bomba en el recreo.

–¿Viendo cómo se secan los charcos?

Javi inclinó levemente la cabeza y luego me miró con ojos de sorpresa. Después concluyó:

–Y los viernes cantamos.

–¿En serio? No sé si podré esperar hasta entonces.

Por desgracia, aquel Javito Pastor resultó ser inmune al sarcasmo.

–A mí a veces también me sucede eso –continuó–. Pero tú, tranquilo. Ya verás como llega muy pronto.

Sus ojos centellearon como si estuviese hablando de su cumpleaños o de la Navidad.

–Cánticos los viernes –dije yo–. Estupendo. Lo recordaré cuando las cosas se pongan todavía peor.

Y miré hacia delante para comprobar cómo iba el punto álgido del día: la elección del encargado de la pizarra.

–Bueno, pues está decidido, ¿no? –decía la señorita Encarnita–. Mari Mar esta semana, y Jorge, la siguiente.

Supongo que, cuando se ha decidido algo de trascendencia universal, más vale asegurarse, por si acaso.

–¿Todo el mundo está de acuerdo?

Yo habría apostado cualquier cosa a que a ningún inútil le importaría un pepino quién fuese el encargado de la pizarra, aquella semana o la siguiente. Pero ¡caracoles! Me equivoqué. Me equivoqué al cien por cien.

La mano que se encontraba a mi lado saltó disparada hacia arriba.

–¡Señorita Encarnita!

–¿Sí, cariño?

–Creo que estaría muy bien que Martín...

–¡Vicente! –le interrumpí sin poder evitarlo.

Pero, claro, no me oyó. Estaba muy ocupado organizándome la vida.

–Que Martín fuera el encargado de la pizarra. Porque es nuevo. Y porque no está muy convencido de que esto le vaya a gustar. Ya ha calculado que faltan seis horas...

Los ojos se me salieron de las órbitas. ¡Y lo más alucinante del caso es que aquel sujeto lo estaba diciendo con su mejor intención! ¡Intentaba ser amable!

–... para regresar a casa.

Dirigí sobre él mis fulminantes rayos exterminadores, pero nada podía detenerle. Estaba siendo atento.

–Por eso creo que sería una buena idea que le nombráramos encargado de la pizarra.

Entonces, totalmente satisfecho, Javi se sentó.

–Mari Mar, Jorge, ¿os importa? –les preguntó la maestra, extendiendo las manos como una santa en un cuadro religioso.

¡Sorpresa, sorpresa! Jorge no se echó a llorar y Mari Mar no se puso a rechinar los dientes.

¡Puf, genial! Diez minutos y ya era el limpiapizarras oficial. ¡Qué suerte la mía!

–¡Estupendo! –exclamó la señorita Encarnita alegremente, dedicándome una sonrisa intencionada–. A mi pizarra no le iría mal una buena pasadita para empezar el día, caballero.

Yo suspiré y me levanté. ¿Qué otra cosa podía hacer? Cogí el borrador que me ofrecía Mari Mar y le dediqué una dulce sonrisa para corresponder a la suya. Borré la pizarra y luego dejé aquella cosa peluda en su sitio.

–Muy bien –dijo la seño–. Excelente. Un trabajo maravilloso.

¡Jo, ni que hubiese equilibrado los presupuestos del gobierno...!

Con aire modesto, me quité de los dedos el polvo que había dejado la tiza.

–Y ahora brindémosle a Martín un gran y bonito aplauso mientras vuelve a su pupitre.

Ya no traté de luchar. Vicente. Martín. Al fin y al cabo, ¿qué importancia tiene un nombre? Yo era un junco roto dispuesto a colgarme de una soga, caminar por una plancha, hacer cualquier cosa que se me pidiese... No me entendáis mal, ¿eh? No soy un pelele. Aquí, el joven Vicente Martín se ha defendido como el que más en colegios en los cuales los platos se convertían en armas arrojadizas; en colegios en los cuales, si te descuidabas, algún energúmeno te clavaba en las piernas sus dientes afilados; colegios en los cuales los profesores necesitaban látigos para...

¡Pero La Mansión Araiz (Escuela Mixta)...! Su pura y espeluznante amabilidad me había vencido, así que saqué la bandera blanca.

A partir de entonces, yo era Martín.

2

UNA CHORRADA MONUMENTAL

No os imagináis qué espectáculo había en el patio. La mitad de aquel hatajo de memos se paseaba por allí ofreciendo sus últimas patatas fritas a cualquiera que estuviera un poco pálido, y el resto estaba saltando.

Lo digo en serio. Estaban saltando. Dos sonrosadas pastorcillas peinadas con coletas le daban a una larga cuerda, y los demás se movían con impaciencia, emocionados a más no poder, mientras esperaban su turno para saltar.

Y cada vez que alguien se metía bajo la cuerda, los otros rompían a cantar.

Me quedé en las escaleras, escuchando de pie. Primero oí lo siguiente:

La señorita Encarnita se agachó para coger una rosa,
una rosa amarilla, tierna y sencilla.
Pero, ¡ay!, al doblar las rodillas,
¡plof!, las medias se le cayeron como si tal cosa.

Y luego oí:

¡Qué buena alumna era Anacleta!
Por las tardes, sobre su mesa,
hincaba los codos, como posesa,
para hacer todas todas sus chuletas.

Me giré hacia Javi.

–¿Hoy es un día especial o qué?

–¿Qué quieres decir? –me preguntó perplejo.

Yo no sabía muy bien cómo explicarlo.

–Lo que quiero decir es si estáis fingiendo ser unos huerfanitos o algo así... ¿Estáis celebrando el carnaval?

Desde luego, no me estaba captando; eso estaba claro.

–¿El carnaval?

–Sí, ya sabes... Ese día en el que todo el mundo se disfraza y hace tonterías, como cantar y bailar.

Por fin se le encendió la bombilla.

–¡Ah, ya, eso!

–Sí, eso. Una chorrada monumental.

Javi observó el patio. En un rincón, dos de los mayores hacían carantoñas a un pequeñajo que sollozaba porque había perdido su canica favorita o algo por el estilo. En el porche, un grupo de chicos y chicas ensayaban un vals (os lo juro). Cerca de las puertas, una panda de juerguistas jugaban a un complicado juego de palmas. El resto vagabundeaba por ahí, sonriéndose y saludándose, o esperando fielmente a sus amigos en la puerta de los servicios.

–Lo que quiero decir –añadí– es que ¿dónde estamos? ¿En el planeta Zog?

Los ojos de Javi brillaron.

–¡Ay, sí! ¡Qué divertido! ¿Vale que somos dos astronautas que llegan al planeta Zog y que tú...?

Le dediqué una de mis más duras miradas de asesino. ¿Quién se creía aquel cerebro de mantequilla que era yo? ¿Un crío encantado de jugar a sus empalagosos jueguecitos?

–Oye –repliqué–, ya es hora de que te explique algo.

Entonces él se llevó una mano a la boca.

–Lo siento, Martín, tendrás que explicármelo después del recreo. Acabo de recordar que le prometí a la señorita Encarnita que la ayudaría a recortar las tapas de los nuevos trabajos.

Y justo en ese momento, la dama en persona apareció en las escaleras.

–¡Jaaavi! –exclamó con unos horripilantes gorgoritos–. ¡Jaaavi Pastor!

–¡Ya voy, señorita Encarnita! –trinó él.

Y se marchó.

Apoyé la espalda en la pared más cercana y escondí la cabeza entre los brazos. ¡Jo, qué mala suerte! Había sobrevivido en colegios en los que el uniforme pica tanto que te produce urticaria; colegios en los que tienes que ponerte en pie y cantar himnos; colegios en los que te obligan a repetir los deberes una y otra vez, hasta que están perfectos...

Pero nunca había ido a parar a un sitio como aquel. Entonces oí el correteo de unos piececillos ansiosos. Asustado, miré hacia arriba y me encontré rodeado por un montón de caras preocupadas.

–¿Martín?

–¿Te encuentras bien?

–El primer día siempre nos resulta difícil a todos.

–¿Quieres saltar con nosotros?

Abrí la boca. Estaba a punto de hablar. Las primeras palabras estaban trepando ya a mis labios cuando, de repente, sonó el timbre.

Menos mal…

3
¡QUÉ HORROR!

UNA HORA DESPUÉS, la maestra explicó de nuevo todo el maldito asunto, por si algún cerebro de mosquito no había prestado atención ninguna de las diez veces anteriores.

–Aquí están las preciosas tapas de vuestros trabajos, que Javi, muy amablemente, me ha ayudado a recortar.

Nuestro Javi hizo una reverencia por undécima vez.

–Sobre mi mesa hay papel. Aquí está el cuadriculado y aquí el blanco.

Señaló dos veces los dos montones, para evitar que alguno de aquellos tarados se pusiese histérico buscando algo en aquel enorme espacio de un metro de ancho por dos de largo.

–Podéis elegir el tema. Pero el título empezará siempre con la palabra *Cómo...* Así que entonces podría ser...

Y señaló a Beatriz.

–*Cómo criar conejos* –contestó ella inmediatamente, sonriendo a continuación.

(Realmente se trataba de una noticia fresca. Habíamos oído los planes de Beatriz con respecto a los conejos por lo menos un trillón de veces desde que entramos en clase).

–O *Cómo...*

La maestra se dirigió a algunos de los pelotas de la primera fila y ellos saltaron enseguida:

–*Cómo hacer una cometa.*

–*Cómo cultivar mostaza y berros.*

–*Cómo adiestrar a tu perro.*

–*Cómo acampar en invierno.*

–*Cómo hacer velas.*

–*Cómo decorar huevos duros.*

Entonces supe con toda certeza que había caído en un agujero negro. La señorita Encarnita se acercaba hacia Javi y hacia mí abriéndose camino entre los pupitres.

Primero le señaló a él.

–Javi, *Cómo...*

Él parecía tremendamente preocupado.

–Todavía no se me ha ocurrido nada, señorita Encarnita.

Tras aquellas palabras, la que se quedó preocupada fue ella.

–¿Martín?

Tendría que haber contestado, lo sé. Pero estaba demasiado ocupado arañando el pupitre con la punta de un boli mientras murmuraba: «¡Vicente, Vicente!».

–¡Oh, vaya por Dios! –exclamó la seño–. Por lo visto, hay dos poco inspirados. Creo que lo repasaremos todo una vez más...

Yo empecé a gruñir. Los demás se quedaron quietos durante un momento, hasta que ella le echó un vistazo al reloj. Debe de haber un pequeño rincón de su cerebro que no ha sido afectado todavía por el café de la sala de profesores, pues de repente tuvo una idea feliz.

–¿Qué tal si hablo con vosotros dos personalmente?

Entonces dejé de gruñir y volví a arañar el pupitre, aunque con más fuerza. Sin embargo, aquel chiflado que se sentaba a mi lado estaba absolutamente encantado.

–¡Viene a ayudarnos!

Lo dijo igual que vosotros o yo hubiésemos dicho: «¡Cine gratis durante toda la vida!». Me puse un dedo en una sien y lo giré, haciéndole saber que creía que estaba como un cencerro. En ese instante, una sombra cruzó mi pupitre, y ahí estaba la señorita Encarnita, envuelta en una nube de polillas, sonriéndonos a los dos.

–Bueno, chicos, ¿qué habéis decidido?

–Lo mío es un secreto –respondí.

Eso me la quitó de la chepa, pero entonces se enganchó a la de mi vecino.

–Venga, Javi. ¿Sobre qué te gustaría aprender algo?

Javi empezó a comerse las uñas y sacudió la cabeza.

–Bueno, pues... ¿sobre qué tema piensas que debería existir un libro como los que vamos a hacer?

Pero Javi estaba muy ocupado interpretando de nuevo el papel protagonista de *El hombre perplejo*.

–Por lo menos habrá algo que siempre hayas deseado que se te dé bien, ¿no?

–¿Contar hasta tres sin quitarte las manoplas? –sugerí.

–¡Martín!

La señorita Encarnita estaba verdaderamente escandalizada. Enarcó una ceja en la que se podrían incubar águilas reales. Pero justo en aquel momento, a Javi Cerebro de Dedal se le ocurrió por fin algo.

–Desearía escribir mejor.

La seño le dio unas palmaditas en la cabeza, como si mi vecino fuese un cachorro hambriento y cojo que ella hubiera encontrado en una perrera.

–Todos deseamos que escribas mejor, Javi.

Él la miró con esperanza.

–¿Puedo elegir ese tema?

–¿Cuál?

–*Cómo escribir bien*. Podría intentarlo.

–Bueno, sí, podrías intentarlo...

Pero la señorita Encarnita no parecía demasiado convencida. Sin embargo, él, enardecido por el entusiasmo, abrió su cuaderno. Y de pronto comprendí por qué la seño tenía sus dudas. El Javi que estaba sentado a mi lado escribía de pesadilla. Os lo aseguro: cuando los profesores de La Mansión Araiz (Escuela Mixta) den puntos por la caligrafía, este pobre Javier Pastor no tendrá ni medio.

–¡Madre mía! –exclamé, conteniendo la respiración–. ¡Qué horror!

–¡Martín! –me advirtió la señorita Encarnita.

Pero nadie te puede impedir que mires. Las hojas del cuaderno de Javi estaban cuajadas de manchurrones. En casi todas había bailado sevillanas una tropa de ciempiés mareados y calzados con botas rebosantes de tinta. El resto, en comparación, parecía limpio (aunque no lo bastante limpio para leerlo; solo limpio en comparación).

–Creo que en este caso estamos hablando de alcanzar la Luna –le comenté a nuestra maestra–. En mi opinión, incluso *Cómo escribir un poco mejor* es demasiado para Javito. Debería conformarse con *Cómo aprender a escribir*.

Aquella era la Clase Feliz, y sin embargo el tono de la señorita Encarnita se volvió más frío que el hielo.

–Te agradecería que cerrases el pico, Martín Vicente –dijo–. Javi tiene un pequeño problema, pero está luchando con valentía para superarlo.

–¿Con valentía? –resoplé–. ¡Con desgana, diría yo!

Javi repasó las hojas.

–La verdad es que estoy mejorando. ¿Ves cómo ha mejorado mi letra desde que he comenzado a dar clases especiales dos veces por semana con la señora Gómez?

Eché un vistazo. Miré las primeras y las últimas páginas del cuaderno.

–Desde luego, esa señora Gómez es una mujer muy muy animosa –apunté.

–Estoy perdiendo la paciencia contigo, Martín –me avisó la señorita Encarnita.

Así que me callé hasta que se fue. A continuación, me dediqué a contemplar al pobre y patoso Javi, que cogió el bolígrafo, agarrándolo con tanta fuerza que su mano parecía una tarántula paralítica, y escribió dolorosamente despacio:

Como DSCr/v/r un qoCo mⱻjor

–Así no vale –le informé–. Hay dos faltas. Eso sin contar las letras que has escrito al revés.

Javi intentó defenderse.

–Pero se entiende, ¿no?

–Más o menos.

–Es lo mejor que puedo hacer.

–Entonces, te has equivocado de trabajo –le dije pacientemente–. En los trabajos debes apoyarte en tus puntos fuertes, no en tus debilidades.

Javi suspiró.

–No sé si tengo algún punto fuerte.

Si no os importa, interrumpo mi relato para hacer un pequeño comentario. No ignoro que cuando alguien te dice: «No sé si tengo algún punto fuerte», se supone que tú le acaricias la pezuña amablemente y replicas: «¡Pues claro que tienes algún punto fuerte! Todo el mundo los tiene. Lo que ocurre es que algunas personas los tienen más escondidos que otras. Y algunas no los descubren en el colegio».

Ya sé que hay que decir eso, ¿de acuerdo? Aunque yo no lo dije.

Yo dije lo siguiente:

–Pues yo creo que se te da muy bien escribir realmente mal.

¿Sabéis cuál fue mi gran error? Pronuncié las palabras mágicas: «Se te da muy bien...». Ese fue mi gran error. A mi lado estaba aquel triste elemento, cuyos profesores no le habían puesto ni un seis desde que cumplió los tres años, y yo estaba diciendo que se le daba muy bien algo.

–¿De verdad?

Sonrió tanto que pensé que la cara se le iba a partir en dos. Durante un espeluznante momento, temí incluso que se abalanzara sobre mí y me abrazase. Pero entonces me eché a temblar de nuevo.

–¿Me vas a ayudar?

Eh, ¿qué habríais contestado vosotros? Ahí estaba yo, atrapado en el Colegio del Valle Feliz, donde todo el mundo era más dulce que la miel, y ese pobre cabeza de chorlito pensaba que yo simplemente estaba siendo amable, como el resto.

Me gustaría ver cómo os las hubieseis ingeniado vosotros para salir mejor parados de aquel atolladero.

–Pues claro –respondí.

Cogí mi boli. Escribí el título en grandes y precisas letras mayúsculas para que lo pudiera copiar en uno de los trozos de cartón que había recortado durante el recreo. Copiar no resulta difícil, así que hizo un trabajo bastante decente. No diré que fuese bueno. Había demasiadas huellas dactilares. Y se tomó su tiempo para resolver el asunto de la e al revés.

Pero yo estaba orgulloso del resultado. Y él también.

CÓMO ESCRIBIR REALMYENTE MAL
POR JAVIER PASTOR

Un poco más tarde, la señorita Encarnita preguntó:

–¿Cómo vas, Javi?

Él metió la lengua en la boca para contestar:

–Bien. Martín me está ayudando.

–¿Y tu trabajo, Martín, cómo va?

–Todavía es secreto, señorita Encarnita.

–Bueno, estoy de acuerdo siempre y cuando lo entregues a tiempo.

Contemplé la tapa de mi trabajo, en el que, hasta el momento, solo había dibujado unos garabatos.

–Me estoy esforzando mucho, señorita.

Ella asintió, más contenta que unas castañuelas. Mi madre lo repite constantemente, y es cierto: algunos profesores pasan más tiempo en la Luna que en la Tierra, así que no deberían trabajar en un colegio, sino en la NASA.

4
¿ORO O CACA?

ME HABRÍA RESULTADO MÁS FÁCIL trabajar en un centro comercial en plenas rebajas. No os imagináis los ruidos que Javi Pastor hacía al escribir. El bolígrafo se le caía al suelo diez veces por minuto. Cuando me pegaba un codazo, decía seis «¡lo siento!» seguidos. Y cada pocos segundos metía la mano en la cajonera para revolver la basura del interior.

Era como estar sentado junto a una ardilla gigantesca.

–¿Qué ocurre? –le pregunté finalmente.

–¿Qué dices? –me preguntó él con cara de preocupación.

Intenté traducírselo.

–¿Por qué no estás trabajando?

–Pero si estoy trabajando... Se ve perfectamente que estoy trabajando.

–No –repliqué–. Yo no veo que estés trabajando. Lo único que veo es que estás tirando las cosas al suelo, que estás pasando las hojas continuamente y que estás registrando la cajonera cada diez segundos para remover el lío que tienes ahí dentro.

–Bueno, pues estoy trabajando.

–No has hecho nada.

Era cierto. Hasta el momento solo había puesto:

6i 9iɒmɒs

Yo me sentía un poco brutal. Él, por el contrario, parecía abatido.

–¿Qué significa eso? –le pregunté.

–¿El qué?

–Lo que has escrito.

–¿No lo entiendes?

Lo intenté con todas mis ganas, de verdad.

–¿Gi qieme?

Suspiró tanto que supe inmediatamente que no lo había entendido. Así que lo intenté de nuevo.

–Gi...

–Si.

Entonces me quedé mirándole.

–¿Si?

Javi señaló las letras en el papel.

–Eso es una ese.

–¡Ya, en tus sueños!

–Venga, reconócelo. Eso es una ese.

–Ya, y yo soy un pingüino.

La cara se le descompuso.

–Bueno, por eso estaba rebuscando en la cajonera. Por algún lado tenía una hoja con modelos.

Eché una ojeada en el oscuro abismo que era la cajonera de Javi Pastor.

–¿Cómo vas a encontrar una hoja en ese vertedero?

Ruborizándose, trató de defenderse.

–También estoy buscando mi diccionario.

Metí un dedo y, con mucho cuidado, removí unos cuantos papeles de aspecto asqueroso.

–Aquí no hay ni rastro de ningún libro.

–Quizá esté en el fondo.

–Por favor, ¿por qué no lo ordenas? Entonces encontrarías las cosas a la primera.

A esta observación mía, Javi repuso con tristeza:

–Si yo lo ordeno. Pero es que...

Su voz se diluyó. Aunque no importaba, francamente. No necesitaba explicar nada. Tardaba un millón de años en (intentar) escribir dos palabras. Así que si intentara ordenar su pupitre, probablemente tendría una barba que le llegaría a los pies antes de terminar la tarea.

Entonces aparté la portada de mi trabajo, que continuaba en blanco.

–De acuerdo –dije suspirando–. Empecemos.

–Pero se supone que...

No me detuve a escucharle. Me encaminé hacia la pizarra para coger la papelera. Los redondos ojos de la señorita Encarnita se clavaron en mí en cuanto me agaché.

–¿Qué haces, Martín?

–Solo estoy cogiendo la papelera –le aclaré.

–Esa papelera es para todo el mundo, Martín.

Me parece que lo que más odio del colegio es que me traten como si fuese medio tonto.

–Sí, ya lo sé –repliqué–. Pero justo ahora Javi y yo la necesitamos más que nadie, porque él no puede empezar a trabajar hasta que hayamos ordenado su cajonera y encontremos su diccionario.

Una extraña luz centelleó en sus pupilas.

–¿Vais a ordenar el pupitre de Javi?

Creo que le dediqué la mirada adecuada. Creo que mi expresión decía claramente: «Sí, señora. Yo hago su trabajo, pero usted recibe su transferencia a fin de mes».

Me llevé mi trofeo y lo planté en el suelo junto al pupitre de Javi. Entonces le indiqué mi silla.

–Siéntate aquí.

Él se cambió de sitio. (¡Ah...! Comía de mis manos).

–Vale –dije, sacando una repugnante bolsa de cortezas–. ¿Oro o caca?

–Caca.

Ese es un truco de mi madre. Lo utiliza conmigo tres veces al año, antes de las visitas de mi abuela.

–¿Y esto?

–Caca. Caca. Caca. Caca.

Nos costó lo nuestro. De cuando en cuando, yo metía un pie en la papelera para aplastar la basura y dejar espacio para más. Pero gradualmente nos abrimos camino entre la marea de porquería de su cajonera. Y en una o dos ocasiones nos llevamos una buena sorpresa.

–¡Oro! ¡Había perdido esta moneda de dos euros hace semanas!

O:

–¡La ficha del dentista! ¡Mi madre me ha estado fastidiando con ella durante un montón de tiempo!

¡Y, de pronto, un triunfo!

–¡Eh! ¡Esa es mi hoja especial!

–Descansa un poco, anda.

Me acerqué hasta Mari Mar.

–¿Me dejas el celo?

La señorita Encarnita me descubrió enseguida.

–Martín –trinó–, en esta clase no nos paseamos sin levantar antes la mano para pedir permiso.

¡Jo, qué manía tienen los profesores con lo de hablar en plural! La señorita Encarnita había estado dando vueltas por el aula toda la mañana y ni una sola vez había levantado la mano...

–¡Dios mío, lo siento! –susurré, escabulléndome con el celo de Mari Mar. Usé cantidad. (¿Para qué iba a racanear?). Pegué concienzudamente la hoja en el pupitre para que no desapareciera otra vez. Y luego le eché un vistazo.

cabra	coleta	anterior	grillo
llave	hilo	reloj	verbo
olor	guitarra	garaje	campana

Había más palabras, y todas por el estilo.

–Ah, ya –murmuré de mal humor, porque todavía no había empezado a hacer mi trabajo–. Son las más difíciles, ¿eh?

–Exacto –dijo muy agradecido–. Se trata de las palabras en las que es fácil cometer faltas.

De acuerdo, lo admito. No sonreí, pero mientras seguíamos escarbando entre el barro que había al fondo de su cajonera, me sentía muy superior a él.

–¿Oro o caca?

–Caca.

–A la papelera. ¿Y esto?

–¡Mi diccionario! –exclamó muy aliviado, alargando una mano para apresarlo.

–A partir de ahora, procura dejarlo por arriba (ya podía aprender de mí la señorita Encarnita). ¿Y esto?

–Caca –respondió, cogiendo lo último que yo había sacado de su cajonera.

Lo tiró a la papelera, y estaba a punto de poner un pie encima cuando metí una mano y lo agarré.

–¿Qué es esto?

–Una fotografía.

–Ya sé que es una fotografía, cerebro de mosquito –le espeté con tono cortante–. ¿Pero de qué?

Javi se encogió de hombros.

–De una maqueta que hice el año pasado.

–¿Una maqueta? –acto seguido, inspeccioné la foto y luego le inspeccioné a él–. Perdona, ¿puedo preguntarte algo personal? Si puedes hacer una Torre Eiffel de tres metros con macarrones, ¿cómo es que no puedes mantener en orden tu cajonera?

–No lo sé.

–Bueno, pues yo, menos todavía.

Aún le estaba contemplando cuando sonó el timbre. Mi trabajo no había avanzado nada. Pero yo sí había conseguido algo importante: eliminar de raíz el enorme riesgo para la salud que bullía en el pupitre vecino. Además, había conocido al autor de la peor caligrafía del mundo. Y había averiguado que no era memo.

Admitiréis que no está mal para la primera mañana de clase, ¿no?

5

¡POR FIN UN POCO DE PAZ!

PRONTO DESCUBRÍ por qué Javi se sentaba solo antes de que yo hubiera aparecido para apropiarme del último pupitre. A la hora de la lectura en silencio, mis manos estuvieron más tiempo en el aire que pasando páginas.

–Señorita Encarnita, el runruneo de Javi me está poniendo nervioso.

–Me está volviendo loco, señorita Encarnita. Nadie puede leer con ese soniquete.

–He leído exactamente cuatro páginas. Exactamente cuatro. Cada vez que le da por ahí, tengo que empezar desde el principio.

La señorita Encarnita dejó el bolígrafo rojo sobre su mesa.

–Javi, por favor, trata de leer más bajo.

–Pero si ya estoy leyendo bajo... Para oírme se necesitaría un audífono, señorita –se disculpó él, poniéndose más colorado de lo que ya estaba.

–Martín te oye de sobra.

–Desde luego –solté–. G-a-t-o, gato. P-e-r-r-o, perro.

–Eso es mentira –replicó Javi–. Estoy leyendo un texto sobre camellos.

Por la tarde, cuando llegué a casa, le pregunté a mi padre:

–¿Qué le ocurre? ¿Cómo es que anda y habla perfectamente, pero no puede escribir «echar» y «garaje» sin cometer ochenta faltas?

–Es su instalación eléctrica –contestó papá con aire misterioso–. Tiene una instalación eléctrica defectuosa. Como aquel piso que alquilamos en Río de Janeiro.

Yo estuve a punto de morir en un incendio en aquel piso. Así que al día siguiente, de nuevo en el colegio, me esforcé por ser más comprensivo.

–Mira –le dije–, o te corriges un poco o te asesino. ¿Qué prefieres?

–Yo lo intento –respondió él–, de verdad. Pero es que algunas cosas no se me meten en la cabeza.

–No es que seas estúpido –me quejé–. Si fueras estúpido, por lo menos sabríamos a qué atenernos.

–Lo siento. Lo siento.

Entonces me dio la impresión de que había estado diciendo «lo siento» desde que había nacido.

–Bah, no importa. Ya se me ocurrirá algo.

Y algunos de los trucos que se me ocurrieron dieron muy buen resultado. Aquella misma tarde me enfrenté al verbo *echar*.

–Venga, empieza a leer y luego recuerda que el verbo echar tira la hache a la basura.

–¿Qué?

–Que ninguna forma del verbo echar se escribe con hache.

–Vaya, el verbo echar tira la hache a la basura. ¡Genial! Pero no sé si me voy a acordar, Martín –comentó inmediatamente con tono triste.

–Pues entonces trata de hacer una rima.

Y, de pronto, en el pupitre de al lado se levantó el telón. Javi Pastor se puso una imaginaria capa por los hombros, retorció la cara en un tremendo gesto de avaricia y recitó con gran estilo (aunque la rima no fuera precisamente magistral):

El verbo echar echa
la hache en la hucha,
donde la guarda
para usarla en el verbo hacer.

Emocionado, le di un fuerte empujón. Él se cayó al suelo.

–Espero que vosotros dos no os estéis distrayendo –nos advirtió la señorita Encarnita.

Durante un rato mantuvimos la cabeza gacha. Yo procuré continuar con mi trabajo, pero el de Javi, *Cómo escribir realmente mal*, atraía irremediablemente mi atención. Os lo aseguro: parecía que, a la hora de escribir, a aquel chico las manos se le volvían de trapo. El espectáculo era tan espantoso que resultaba inevitable mirar.

Por fin, después de un millón de salidas en falso, consiguió lo siguiente:

Si te propones escrivir.
realmente mal debes
usar una pluma haberiada

–¿Qué significa esto? –le pregunté señalando el último borrón, grande y asqueroso.

–*Averiada* –respondió Javi con valentía. Pero estaba preocupado, eso se veía a la legua.

–La e está al revés –comenté.

–¿Está bien ahora? –me preguntó después de arreglarla.

–¡Qué va! Te has acercado un poquito, pero todavía estás a años luz.

Afligido, tachó *una pluma averiada* y escribió *la peor pluma* encima.

–¿Por qué has hecho eso?

–Al final no me queda más remedio que utilizar las palabras fáciles que puedo escribir sin problemas.

–Eh, no deberías rendirte. La gente va a pensar que eres medio tonto.

–La mayoría lo piensa ya.

–Pues eso no está nada bien, ¿no? –me senté bien y me puse a discurrir un poco. Y entonces–: ¡Ya lo tengo! La solución está en el AVE.

–¿Cómo?

–Podrás acordarte de eso, ¿no?

–¿De qué?

–Tú escribes *averiado* con hache y con be, ¿no? Ahí es donde cometes las faltas, así que si recuerdas que el AVE es un tren que apenas tiene averías, nunca más volverás a equivocarte, ¿no? –le expliqué triunfalmente, escribiendo la palabra en cuestión con las enormes letras de niño pequeño que empleaba con él.

averiada

Se quedó contemplándola durante un rato y luego dijo:

–¡Ya lo entiendo!

Quizá lo había entendido. Quizá no (probablemente, él sería el último en saberlo). Con extraña fascinación, observé su lento y torpe progreso por la página hasta que el timbre sonó para indicar que era hora de comer.

–¡Qué bien! –exclamó, embutiendo sus cosas en la mochila–. ¡Hora de irse a casa!

–¡Pero si todavía es por la mañana!

–¡Jo! –dijo desilusionado, aunque no sorprendido. Por la tarde, sin embargo, cuando de verdad era hora de volver a casa, sí se sorprendió.

–No tiene ninguna noción del tiempo –le comenté a mi padre–. Si le preguntas cuáles son los días de la semana, los recita de corrido sin un solo fallo. Pero luego le dices que ayer fue martes y, curiosamente, no comprende que, por tanto, hoy es miércoles.

Mi padre echó cebolla picada en la sartén.

–¿Qué tal se le dan los meses?

–Se los sabe, según él. Pero se salta noviembre.

–Así la Navidad llega antes. ¿Y el abecedario?

–Ni idea.

–Pregúntaselo mañana.

Y eso hice. Tenía que cantarlo. Pero lo cantaba perfectamente. Cuando iba por la G, comencé a dirigirle como si él fuese una orquesta y yo el director. Y cuando terminó con una floritura con X, Y y Z, le dije:

–Si te sabes tan bien el abecedario, ¿por qué te pasas la mayor parte de la semana hojeando el diccionario para encontrar una letra?

–Cantar es diferente.

Esa noche informé a mi padre:

–Dice que cantar es diferente.

Y mientras él cortaba perejil para la ensalada, yo imité a Javi Pastor escudriñando su diccionario en busca de la V.

–¿Te enseño un truco? –me preguntó papá de pronto, levantando la vista de la tabla y arrebatándome el diccionario–. ¿Cuánto te apuestas a que no encuentro la H a la primera?

–Nada –respondí (no soy idiota).

Entonces abrió el diccionario y me mostró una hoja llena de palabras que empiezan por H.

–Muy bien.

–¿Y cuánto te apuestas a que no encuentro la D a la primera?

–Nada.

Volvió a abrir el diccionario, esta vez en medio de la D.

–¡Fantástico!

–¿Te apuestas algo a que no encuentro la S?

–No. Aprecio mucho mi dinero.

Menos mal que no aposté. Encontró la S a la primera.

Luego regresó a su ensalada. Yo abrí el diccionario en busca de la E y aterricé en la F. Después lo intenté con la B y caí en la A.

–¿Cómo lo haces? –le pregunté por fin.

–Es un truco muy viejo –me contestó.

–Pero el diccionario es nuevo...

–Funciona con todos los diccionarios. Si lo abres justo por la mitad, te encontrarás la H.

Le obedecí. Tenía razón.

–Ahora, si te vas casi al final aterrizarás en la S.

Le obedecí de nuevo. Luego abrí el libro por el primer tercio y aterricé en la D.

–Funciona siempre –me aseguró.

–Estoy impresionado...

Aunque ni la mitad de lo que lo estaba Javi al día siguiente.

–¿Ves? Ahora solo tendrás que examinar un tercio del diccionario cada vez que quieras encontrar una palabra –le expliqué.

–Voy a probar.

Y probó, repitiendo machaconamente a media voz aquella cancioncilla suya del abecedario.

–¡Funciona!

–Pues claro que funciona.

–¡Qué listo eres, Martín!

–No me lo agradezcas a mí, sino a mi padre.

En ese momento, la señorita Encarnita interrumpió nuestro concurso de elogios.

–¿No deberíais estar trabajando?

–¡Eso estamos haciendo, de verdad! –exclamó Javito, radiante.

Supongo que él estaría trabajando. Pero yo no había hecho nada de nada desde que había llegado. Mi *Cómo...* estaba aún en blanco. Aunque ahora que mi vecino iba a dejar de canturrear y hojear el diccionario a todas horas, había alguna esperanza. ¡Por fin dispondría de un poco de paz!

6

«¿POR QUÉ LE TORTURA USTED ASÍ?»

EN UNA O DOS SEMANAS, logré que Javi convirtiese en un arte algo tan sencillo como meter las cosas en la mochila.

–¿Adónde vamos ahora? –le preguntaba.

Entonces él miraba a los demás, que, por ejemplo, se precipitaban por la puerta blandiendo sus equipos de gimnasia.

–¿A clase de Educación Física?

(Desde luego, era Sherlock Holmes II).

–Muy bien. Por tanto, ¿qué necesitas?

Yo no le permitía decirlo hasta que no lo tuviese ya dentro de la mochila.

–Zapatillas. Pantalones cortos. Camiseta. Calcetines.

Acto seguido, nos íbamos a clase de Educación Física. Aunque era un poco absurdo, la verdad. A Javi no se le daba muy bien esta asignatura.

(Miento: a Javi se le daba fatal. Era tan malo que incluso aquellos buenazos de la señorita Encarnita debían morderse la lengua para no protestar cuando Javi acababa en su equipo).

Y también se le daban fatal las matemáticas. Fuesen cuales fuesen los problemas que le pusiera la maestra, él se quedaba sentado, agitándose y suspirando hasta que acababa por atacarme los nervios.

–¿Ahora qué pasa?

–No lo entiendo.

–¿Qué no entiendes?

(No sé ni por qué me molestaba. Era lo mismo que preguntarle a alguien más sordo que una tapia: «¿Qué es lo que no oyes?»).

–Simplemente, no lo entiendo.

¿Por qué tenía yo que estrujarme el cerebro gratis? A la señorita Encarnita le pagaban por hacer eso.

–Señorita Encarnita. ¡Señorita Encarnita! ¡Javi se ha atascado otra vez!

A la pobre hay que reconocérselo. Lo intentaba de todo corazón. Día tras día, cogía los bloques de colores, los desperdigaba por el pupitre de Javi y repasaba los problemas con él una y otra vez.

–Venga, Javi. Vamos paso a paso. Este bloque de aquí vale...

–¿Cien?

La señorita Encarnita movía la cabeza con gesto negativo.

–¿Mil?

–No. Piensa, Javi. Lo estudiamos ayer.

–Entonces, diez.

A la tercera iba la vencida. Aunque no había mucho más donde elegir, sinceramente. A pesar de todo, la maestra se emocionaba.

–¡Muy bien, Javi! Así que si no tenemos suficientes bloques rojos para... Bla, bla, bla... Bla, bla, bla... Bla, bla, bla...

Javi se esforzaba. Asentía. Y respondía una a una a las preguntas de la maestra. Pero todo era inútil. No retenía nada. En cuanto ella se marchaba, él no recordaba qué preguntas debía hacerse para obtener la respuesta adecuada. No entendía nada de nada, y los bloques que abarrotaban su pupitre le desconcertaban tanto como los números le habían confundido al principio.

–Me parece a mí que solo los que saben resolver los problemas del libro saben resolver los problemas con los bloques –dijo en una ocasión, refunfuñando.

–¡Qué observador, Javi!

–Entonces, ¿por qué se empeña la seño en ponerme problemas con los bloques?

–A mí que me registren –repliqué, encogiéndome de hombros.

A veces, para descansar, la señorita Encarnita le daba algo que sabía hacer. Pero incluso así se equivocaba. Yo me inclinaba para vigilarle y descubría que, por ejemplo, había copiado mal la pregunta. Eso de escribir ciertas letras al revés se le había contagiado a los números.

–Se supone que tienes que multiplicar por trece, no por treinta y uno.

–Ah, ¿sí?

Entonces se tiraba diez minutos buscando el error.

–¡Ah, es cierto!

Aunque tampoco así lograba dar con la solución. Su siguiente error consistía en copiar el número correcto en el lugar incorrecto.

$$\textit{Ejemplo:} \quad \begin{array}{r} 43 \\ + \ 154 \\ \hline 584 \end{array}$$

Lo comprobaba cuatro veces para asegurarse. Y luego preguntaba:

–¿Me he equivocado en la suma?

–No. En la suma no te has equivocado –contestaba yo después de revisar el ejercicio.

–Entonces está bien, ¿no?

–Me temo que no.

Así que yo llamaba de nuevo a la señorita Encarnita, que se acercaba con sus bloques para explicárselo todo otra vez.

–¿Por qué le tortura usted así? –le pregunté un día a nuestra maestra.

–¿Torturarle? ¿A qué viene eso, Martín? Solo le estoy preguntando a Javi si lo entiende –contestó entre herida y horrorizada.

–Pero es que Javi no sabe si lo entiende.

–Quizá lo comprenda de repente. A mucha gente le ocurre eso –me dijo dándome la espalda–. Venga, Javi –añadió con paciencia–. Vamos a intentar esta cuenta una vez más. Empezamos por esta columna, ¿no? Entonces, ¿cuánto es ocho por siete?

Esperamos la respuesta eternamente. Hasta que por fin (porque Javi le leyó los labios a Beatriz) le salió:

–¿Cincuenta y seis?

–¡Excelente, Javi! –exclamó entusiasmada la señorita Encarnita–. ¿Y cuánto es siete por ocho? –le preguntó un microsegundo después.

Javi, apesadumbrado, volvió a morderse las yemas de los dedos.

–Venga, Javi. Lo acabas de decir.

–¿En serio?

–Sí.

–¿Cuándo?

–Ahora mismo. Me has dicho: ocho por siete, cincuenta y seis.

–Pero ¿no me ha preguntado cuánto es siete por ocho...?

–Javi, es lo mismo.

Javi disimuló bastante bien. Se llevó una mano a la frente poniendo esa cara suya de «creo que ya lo he pillado». Y la seño fingió que Javi había logrado engañarla (porque al fin y al cabo ese es su trabajo). Pero yo no tenía por qué hacerme el tonto.

–¿Ve? Le está torturando. Si ni siquiera ha captado que ocho por siete es lo mismo que siete por ocho, ¿cómo puede pretender que empiece con las fracciones? No es justo.

–Son fracciones muy fáciles.

–Sí, ya me imagino que un puñetazo con un guante de boxeo será más suave que con un guante de hierro.

–¡Martín!

Se estaba enfadando conmigo, se le notaba. Yo, por el contrario, ya estaba enfadado con ella. ¿Por qué seguía actuando como si el cerebro de Javi fuese igual que el suyo o el mío? ¿Por qué no veía que su maquinaria funcionaba de diferente manera a la nuestra?

–Últimamente has mejorado mucho, ¿no, Javi? –le preguntó.

–Eso es porque Martín me está ayudando.

–Yo no creo que sea por eso –replicó nuestra maestra.

–Sí, es por eso –apunté yo.

–¡Martín!

–Es cierto –insistí–. Javi se va defendiendo. Pero solo marcándose faroles, adivinando, leyendo los labios de Beatriz y copiando las soluciones de mi cuaderno.

–Estoy segura de que eso no es verdad.

–Si se atreve, pregúntele a él.

Pero no se atrevió. Simplemente, se marchó. Sé que di en el blanco porque, cuando llegó a su mesa, se giró hacia mí y me dijo con la cara roja:

–Debería cambiarte de sitio, Martín.

–¡Oh, no, señorita Encarnita! ¡No nos separe, por favor! ¡Me gusta estar sentado al lado de Martín! ¡Me ayuda mucho! –exclamó Javi con un quejido que partía el alma.

La seño no forzó la situación. Pero un poco más tarde sonó el timbre, y entonces me cogió por un brazo y me condujo a un rincón.

–A usted, señor Vicente, le iría mucho mejor si se interesase más por sus tareas y menos por las de los demás.

Desgraciadamente, tenía razón. Porque cuando abrí mi *Cómo...* para demostrarle que estaba equivocada, los dos vimos que continuaba en blanco.

7
LAS REGLAS DE ORO

–Hoy –le anuncié– voy a dedicarme a mi trabajo.

–Primero dime cómo empiezo, anda –me suplicó él.

–No –repliqué–. Tengo que hacer mis cosas. Cuando me pongo contigo, no acabo nunca.

Así que, apenado, desplegó la hoja de su demencial caligrafía.

La gente que escrivo
realmonto mal

Era inútil. No podía concentrarme. Dejé mi bolígrafo y saqué de su sobre las fotografías que Javi me había entregado durante la primera clase.

–Ya he dicho esto antes –comenté–. Y probablemente lo vuelva a decir. No comprendo cómo alguien que puede guardar en perfecto estado die-ciocho maquetas del tamaño de un *jumbo* en un dormitorio diminuto es incapaz de escribir una palabra sin torcerse medio millón de veces.

Le eché un nuevo vistazo a su trabajo.

–O siete palabras de golpe sin salirse del papel.

Mirad cómo había terminado en aquella oca-sión:

La gente que escribe
realmente mal t/s

–¿Son estos los mismos dedos que construye-ron una Torre Eiffel de tres metros con espague-tis? –le pregunté tocándole una mano.

–Con macarrones.

–Bah, eso es lo de menos. ¿Es este el cerebro que discurrió cómo hacerle a su hermana una máscara naranja y verde fosforito para carnaval? –le pre-gunté dándole unas palmaditas en la cabeza–. ¿Es este el mismo chico que volvió a instalar los cables del altavoz cuando Jorge Soto los arrancó con una de sus gigantescas pezuñas?

–Eso es diferente –contestó él con tristeza–, porque los cables, el pegamento y ese tipo de co-sas no tengo que estudiarlos.

–Este no es tu sitio –le dije moviendo la cabeza–. No deberías estar aquí. Tendrías que estar aprendiendo junto a alguien que construya puentes, pinche teléfonos o diseñe juegos de luces para las giras de los grupos famosos.

–Ya me gustaría a mí...

–No te preocupes. Solo... –hice un rápido cálculo mental–, solo te quedan mil seiscientos cuarenta y seis días.

–¿Para qué? –me preguntó, observándome muy interesado.

–Para dedicarte a lo que se te da bien.

Con aire soñador, se quedó contemplando las fotos que estaban desperdigadas por el pupitre.

–Mil seiscientos cuarenta y seis días...

–Y este se nos está yendo muy rápido –le advertí después de mirar mi reloj–. Así que coge tu boli y sigue.

–Estoy atascado.

–Inténtalo. Nadie espera que ganes un premio.

–Una vez gané uno –replicó orgulloso.

–¿De veras?

No estaba escuchándole. Porque de repente se me ocurrió qué tema elegir para mi *Cómo...*

Javi, por su parte, estaba empeñado en contarme lo del premio.

–Sí. Gané un premio. Hace dos años, en las fiestas de San Juan.

Parecía tan orgulloso que, aunque yo estaba desesperado por ponerme a trabajar en mi idea, no pude evitar preguntarle:

–¿Y qué premio ganaste?

–El premio al que más esponjas mojadas aguantó que le tirasen.

Vale, lo admito. No soy de piedra. Tengo mi corazoncito. Así que a veces es posible tocarme la fibra sensible. Y mi rezagado compañero de pupi-

tre la había tocado con tanta fuerza que estuvo
a punto de romperla.

—De acuerdo —dije, cogiendo mi boli—. Te voy
a ayudar.

Y, apartando mi propio *Cómo...*, acometí el suyo.

*Para escribir realmente mal (al cutre estilo de Javi),
necesitarás un poco de papel (cualquier trozo viejo y mu-
griento servirá) y una pluma que deje unos borrones
tremendos. Para apoyarte, busca un sitio lleno de bultos
(las rodillas o unas rocas están bien, pero los autobuses
que se lanzan cuesta abajo resultan mucho mejores).*

Siéntate derecho. Luego, inclínate hacia un lado y abre las piernas. Comprueba que haya poca luz o que no veas lo que estás escribiendo porque te lo tapa un montón de libros.

Agarra la pluma con mucha energía, de manera que los nudillos se te pongan blancos, y retuerce la mano hasta que casi escribas al revés.

–Yo no hago eso, ¿no?

–Sí. Sí que lo haces.

¡Atención! No debes escribir la misma letra del abecedario dos veces igual. Los que escriben realmente mal pueden conseguir que la misma letra parezca completamente distinta incluso en la misma palabra. Ejemplo:

Entonces le pasé el bolígrafo a Javi.

–Adelante. Haz tú el ejemplo.

–¿Yo? Pero si soy pésimo con los ejemplos. Ya lo sabes. Siempre los hago mal.

–Tú eres el único que puede hacer bien este.

–¿Sí? –sus ojos se iluminaron–. ¿Qué escribo?

–Escribe «basura» –le sugerí–. Esa palabra tiene dos letras repetidas. A ver si la escribes bien, ¿eh?

La escribió bien porque se la soplé.

[...] Ejemplo:

basura

–¡Qué bonita te ha salido! –exclamé–. ¡Perfecto! ¿Entiendes ahora lo que te quiero decir? Apóyate en tus puntos fuertes. ¡Nadie diría que las dos aes son la misma letra!

–Entonces, ¿puedo hacer todos los ejemplos?

–Solo los puedes hacer tú.

Al día siguiente nos centramos en las mayúsculas.

A B C D E F G H I J K L M
A B C D E F G H I J K L M

N Ñ O P Q R S T U V W X Y Z
N Ñ O P Q R S T U V W X Y Z

¿Adivináis quién de los dos escribió los ejemplos de la parte superior?

Exacto.

Debes usar las mayúsculas al principio de los nombres propios y las frases nuevas. Pero si te propones escribir realmente mal, olvídate de esa norma. (Haz también algunas mayúsculas más pequeñas que las minúsculas. Así confundirás a todo el mundo). Ejemplo:

Mari Mar   Mari Mar
mal ✗   bien ✓

Al día siguiente, nos dedicamos a las minúsculas.

a d C b e f g h i j k l m
a b c d e f g h i j k l m

n ñ o q p r s t u v w x y z
n ñ o p q r s t u v w x y z

¿Adivináis quién de los dos escribió las de la parte inferior?

¡Exacto otra vez!

Para ahorrar tiempo y esfuerzo, el final de una letra se puede utilizar como comienzo de la siguiente. Ejemplo:

mi   mi

bien ✓   mal ✗

No te desanimes. Pronto aprenderás qué letras se pueden eliminar porque carecen de importancia.

Al día siguiente hicimos unos ejercicios especiales.

Nunca escribas dos letras seguidas con el mismo tamaño. Ejemplo:

seta   Seta
malx   bien ✓

Y no te olvides de torcer las letras en cualquier dirección, por extraña que sea. Ejemplo:

bdfghe   bdfghe
malx   bien ✓

No emplees papel cuadriculado: si tu objetivo es escribir realmente mal, no querrás que todo esté cuidadosamente dispuesto en la misma línea, ¿no? Ejemplo:

pintar   Pintar
malx   bien ✓

También practicamos los números.

1 2 3 4 5 0 7 8 9 10

1   2   3   4   5   6   7   8   9   10

¿Te gustaría conseguir que tus cincos parezcan eses? ¿O que un seis parezca un cero? Recuerda que hay que emborronar los números realmente importantes. Y, para variar un poco, ¿por qué no escribes la mitad de una cifra con una palabra y el resto con un número? Ejemplo:

veinti ?

Como puedes comprobar, esto se puede tomar fácilmente por «veinti?».

Pensé que resultaría interesante cubrir también el tema de la acentuación.

Las reglas de oro para acentuar son:

1. *No le pongas acento a ninguna letra que deba llevarlo.*

2. *Ponlo en cualquier otra letra (en cualquier dirección).*

Javi me proporcionó el ejemplo.

Mé fuì a casá

Y luego nos fuimos a casa.

Tras el fin de semana, empezamos con la puntuación.

Una puntuación excesiva hace que el texto resulte recargado y poco atractivo. Olvídate de los signos de interrogación y de exclamación y sé verdaderamente tacaño con las comas. Por el contrario, las frases las puedes rociar a placer con puntos (pero no pongas ninguno al final, ¿de acuerdo?). Ejemplo:

Martín. y yò estamos.
trabajanDó mucho

Y después, para terminar apropiadamente, estudiamos los espacios y la distribución.

Aprovecha toda la hoja; no importa que te salgas. Un lector experimentado ha de adivinar cuál es la siguiente palabra. Ejemplo:

dESpuES de. bañärte tø. Quòdas

Escribe procurando que cada línea forme una ola. No te preocupes por los párrafos. Las personas célebres que han seguido con éxito este método nunca se preocupan por los párrafos.

–Ahora, para acabar, escribe «Buena suerte» –le dije, pasándole la pluma.

Javi sacó esa lengua suya que yo ya conocía tan bien y escribió:

BUENA SUÉRTE!

–¿Qué significa «célebres»? –me preguntó tras estudiar la última frase con detenimiento.

–Conocidas. Populares. Famosas por algo.

–Entonces, podríamos decir –replicó, entusiasmado por los ejemplos que habíamos estado haciendo a lo largo de aquellos días–: «Ejemplo: Javi Pastor es célebre por escribir realmente mal».

(Eso, sin lugar a dudas).

–Desde luego que lo podríamos decir –sentencié yo.

8
Un acto criminal secreto

Como Javi había terminado su trabajo, empezó a interesarse por el mío.

–¿Por qué estás sentado así, todo retorcido? ¿Estás intentando escribir realmente mal?

–No. Solo estoy pretendiendo esconder mi trabajo.

–¿Por qué?

–Porque es un secreto.

A mi vecino, aquello le sentó mal.

–Bah, ya lo veré el día de la fiesta de fin de curso.

–Sí, pero no antes.

Javi se encogió de hombros y, a continuación, don Ofendido se transformó en don Angustias.

–A ti te debe de resultar muy difícil escribir así de doblado, ¿no?

–Tú te las arreglas estupendamente.

–Porque estoy acostumbrado –replicó. Después, sus ojos se iluminaron–. ¡Ya sé! ¡Voy a hacerte una mampara!

Y me la hizo. Al día siguiente se presentó con una estupenda mampara que había construido con una caja de cereales. Cuando no la usábamos, Javi la plegaba y la guardaba en su cajonera. Pero en cuanto la señorita Encarnita decía: «Ya es hora de que continuéis con vuestros trabajos», Javi sacaba la caja y la instalaba entre los dos, bajando los rollos de papel higiénico aplastados que servían de alas estabilizadoras y colocando la casete vacía que actuaba como contrafuerte.

Y la mampara cumplió su función perfectamente. Javi no veía nada de nada.

–¡Genial! –exclamé, agradecido, un día–. Así trabajo mucho mejor.

Sin embargo, la señorita Encarnita no estaba demasiado entusiasmada.

–¿Es absolutamente necesario que tengáis ese trasto en vuestros pupitres?

–Es mi mampara de seguridad –le aclaré–. Así trabajo mejor.

–Bueno, por lo menos has comenzado de una vez por todas.

¿Comenzado? ¡Pero si estaba trabajando a destajo! ¡Me pasaba las horas comprobando mis cálcu-

los y dibujando líneas rectas! Mientras tanto, Javi manipulaba el bote de pegamento y unos cuantos trozos de cartón y cuerda bajo el pupitre; eso sí, cuando la señorita Encarnita no le miraba o cuando no me daba la lata a mí.

–¿Habrás acabado el día de la fiesta?

–Eso espero. Pero como no estaba seguro, me llevé el trabajo a casa y lo adelanté un poco mientras mi padre preparaba la cena.

–¿Qué es eso?

–Mi trabajo –le contesté–. Tengo que relatar cómo...

–Ah, ¿sí? ¿Cómo qué?

–*Cómo sobrevivir en el colegio* –respondí, notando que me clavaba la mirada–. Es un regalo para Javi.

Papá se limpió las manos, llenas de masa de pizza, y hojeó las páginas que ya estaban terminadas.

–Esto no es un trabajo. Es, simplemente, un montón de rectángulos numerados.

–No es simplemente un montón de rectángulos numerados –le expliqué–. A final de curso, en este cuaderno habrá un rectángulo numerado por cada día que el pobre Javi Pastor tenga que pasar en el colegio.

–¿Mil seiscientos cuarenta y seis? –me preguntó mi padre volviendo la última página, en la que yo había esbozado un rectángulo a lápiz.

–Ya solo quedan mil seiscientos treinta y ocho –admití–. Pero seguro que a Javi le apetecerá tachar unos cuantos.

–¿Para eso son? ¿Para que Javi los tache?

–O para que haga dibujos.

Mi padre estaba horrorizado.

–Pero ¿qué objetivo tiene?

–Así se sentirá mejor. Todos los presos hacen algo semejante, ¿no? Les sirve para cumplir sus condenas sin volverse locos.

–¡Pero si Javi no está en la cárcel! ¡Está en La Mansión Araiz (Escuela Mixta)!

–Pues es como si estuviera en la cárcel, la verdad. De hecho, allí estaría mejor. Disfrutaría arreglando las máquinas o inventando estrafalarios aparatejos para abrir cerraduras.

–El colegio no es un castigo –protestó mi padre, golpeando la masa de la pizza con mucha fuerza–. Es un valioso viaje intelectual que conduce a un precioso destino.

–¡Eso díselo a Javi! –me burlé–. Para él, el colegio es solo un lugar al que va obligado y donde le riñen continuamente.

—Me parece a mí que no solo le reñirán a él cuando la señorita Encarnita vea esto –comentó mi padre tocando mi trabajo con los dedos llenos de masa.

No discutí con él. Sabía que tenía razón. Pero seguí haciendo rectángulos cada vez que la seño nos decía que continuáramos con nuestros trabajos.

—¡Abajo los bolígrafos! ¡Ya es hora de que organicemos la exposición para el día de la fiesta! –trinó ella una mañana.

Javi me pegó un codazo.

—Tienes que dejar de escribir.

—¡Bah! –exclamé, siguiendo con mis rectángulos–. La señorita Escarchita no se va a dar cuenta.

Pero la señorita Escarchita se dio cuenta.

—¡Martín! Como no has dejado de escribir, me temo que te ha tocado hacerme un recadito.

¡Oh, qué profunda emoción! ¡Iba a salir de clase durante cinco minutos! Sin embargo, todos me miraban con cara de lástima, como si pensasen que la seño se estaba excediendo en el castigo. Evidentemente, ninguno de aquellos peleles se pasaba las tardes lluviosas clavando alfileres en muñecos de cera. En fin, el caso es que me marché.

Silbando, recorrí el pasillo, doblé la esquina, pasé por delante del salón de actos y entré en secretaría. Allí no había nadie. La lista que había ido a buscar estaba sobre la mesa. *Fiesta de fin de curso. Grupo de la señorita Encarnita: lista de premios.* A continuación, se detallaban unas cuantas categorías deprimentes y aburridas:

– *Mejor ortografía.*
– *Mejor redacción.*
– *Mejor lectura.*
– *Mejor trabajo «Cómo...».*
– *Mejor trabajo de matemáticas.*

En esa lista no había premios para Javi. Pero se me ocurrió una idea. Cogí las tijeras que estaban sobre la mesa de la secretaría, corté la última línea –«¡Vaya! ¡Lo siento, Beatriz! ¡Este año no tienes premio!»– y, con cuidado, escribí:

– *Mejor trabajo manual casero.*

Entonces regresé a mi clase paseando tranquilamente. La señorita Encarnita estaba ocupada luchando contra una avalancha de carteles de la exposición de ciencias naturales, así que apenas le echó un vistazo a la lista.

–Ponla donde todo el mundo la vea.

Arranqué una chincheta del cerdo babeante que odiaba con mayor intensidad y observé con satisfacción cómo el dibujo se desprendía de la pared y aterrizaba en la papelera.

–¡Ya está! –anuncié, clavando la hoja con la chincheta–. En este preciso instante, declaro oficialmente expuesta esta lista de premios.

Una segunda avalancha cayó sobre la maestra. Y como el celo se fue rodando por debajo de los pupitres mientras todos discutían qué tipo de pegamento sería el más adecuado para pegar la foto del búho disecado de la madre de Jorge, nadie descubrió mi pequeño acto criminal.

9

Transporte de Maquetas Demenciales, S.A.

Mi madre se resistió.

–Por si no te has dado cuenta, la empresa en la que trabajo se llama Sistemas Tecnicón, no Transporte de Maquetas Frágiles, S.A.

–Las maquetas de Javi no son frágiles –protesté–. Es un auténtico experto.

–Vicente, mantener esa furgoneta parada cuesta una fortuna. Así que imagínate lo que costaría que hiciera tu encargo.

–No se tardaría mucho.

–Pero tendrían que cargar y descargar.

–Yo me ocupo de eso.

De mal humor, removió el contenido de su plato de pasta. Yo estaba ganando.

–Hazme este favor –dije– y jamás volveré a quejarme de ningún colegio.

Los ojos de mi padre se iluminaron.

–¡Acepta ahora mismo! –le ordenó tajante a mi madre–. Acepta ahora mismo o pido el divorcio.

Mi madre aceptó. Hizo un par de llamadas telefónicas y lo organizó todo. Al día siguiente, la furgoneta, el conductor y yo nos presentamos a primera hora en casa de la señora Pastor.

–Venimos a buscar las maquetas de Javi –informé a la asistenta–. Para exponerlas en la fiesta.

–¿Cómo? ¿Venís a por todas? –preguntó mientras se le iluminaban los ojos. (Por aquella época se le iluminaban a todo el mundo).

–No vamos a dejar ni una –respondí con firmeza.

–¿Os vais a llevar incluso la telaraña de tallarines tamaño gigante?

–Incluso esa. Y el astronauta de vasos de plástico. Y la noria de latas. Y el cocodrilo de cortezas de árbol.

La asistenta empezó a temblar.

–Entonces, ¿por fin podré entrar y pasar la aspiradora por debajo de la cama? ¿Y podré limpiar el polvo?

–El dormitorio será todo suyo. Se quedará más vacío que un colegio en verano. Y ahora, por favor, muéstrenos el camino.

–¿Os vais a llevar también la pantalla de lámpara hecha con biscotes? –nos preguntó con voz trémula deteniéndose en mitad de las escaleras.

–Sí, también.

Emocionada, abrazó con fuerza su plumero.

–¡Aquí es! –exclamó después.

Confieso que no me entusiasmaría vivir en la habitación de Javito. No me importaría pasar bajo el cohete hecho con cilindros de cartón. O a través del Valle de los Reyes fabricado en papel maché. Pero no me gustaría demasiado dormir bajo un mastodonte construido con una botella de plástico llena de agua. O levantarme, calcular mal y meter los pies en un pulpo hecho con una bolsa térmica rellena de gelatina.

–¿Ya está todo? –preguntó el conductor cuando terminamos de cargar la furgoneta.

La asistenta se secó con un pañuelo lo que únicamente se podía interpretar como una lágrima de alegría.

–¿Me promete que las devolverá a partir de las cuatro? –le pregunté al conductor.

–Te lo prometo –me contestó él, arrancando el vehículo–. Aunque no lo parezca, yo no trabajo para Transporte de Maquetas Demenciales, S.A., ¿sabes? Este es un día como otro cualquiera. Tengo que ocuparme de los servicios habituales.

(Caramba, creo que en el extravagante mundo de Tecnicón confunden el sarcasmo con el humor).

Cuando nos marchamos, la asistenta levantó la fregona en cálida señal de despedida. Entonces, el conductor añadió:

–¿Adónde vamos ahora?

–A La Mansión Araiz (Escuela Mixta).

–¡Eh, yo fui a ese colegio! –exclamó, atusándose el pelo cano con los nudosos dedos de una mano–. Me dio clase la señorita Encarnita, una maestra encantadora.

–¡No me extraña! ¿Podemos acercarnos con la furgoneta hasta la parte trasera?

El hombre conocía el camino perfectamente, y juraría que sus ojos legañosos se nublaron cuando pasamos por delante del viejo rótulo del colegio. Luego, marcha atrás, llegó hasta las puertas de emergencia, que están junto al gimnasio.

–Esas puertas no se pueden abrir desde fuera –le advertí.

–Eso es lo que tú piensas –replicó, introduciendo el brazo por una rendija y soltando un pestillo–. Los viernes, una vez finalizada mi etapa en La Mansión Araiz (Escuela Mixta), solía colarme por aquí para venir a cantar.

(Esto es lo que ocurre cuando vives en un pueblo en el que no hay ni un cine ni una discoteca. La gente se trastorna).

Entre los dos llevamos las maquetas hasta mi aula a través del pasillo y de la entrada, donde todos estaban rezando con los ojos cerrados.

–¡No ha cambiado nada!

–¡No hace falta que me lo jure!

A continuación, lo colocamos todo. Jamás entenderé cómo había logrado Javi meter aquello en su minúscula habitación. En la clase cabía perfectamente, aunque el mastodonte se asomaba amenazador por la mesa de la señorita Encarnita, y el conejo de Beatriz, que estaba en la mesa del fondo, contemplaba la telaraña de tallarines con verdadera inquietud.

–Espléndido –comentó el conductor–. Un buen trabajo, sí señor. Y estas maquetas son resistentes, ¿eh? Hay aparatos de Sistemas Tecnicón, tecnología punta y todo eso, que se romperán antes –añadió dándole unas palmaditas a su preferido (el elefantito de latas) con evidente satisfacción.

–Javi usa el pegamento y la cuerda de mejor calidad.

–Bueno, más vale que me vaya –dijo el hombre después de mirar con nostalgia a su alrededor y suspirar.

–Hoy no es viernes –le consolé–. Así que, por lo menos, no se perderá las canciones.

Ya en la puerta, dudó y volvió la vista atrás.

–En esta aula he pasado los días más felices de mi vida.

¿Me comprendéis ahora? Basta un trimestre con la señorita Encarnita para perder un tornillo. O los dos.

10
POR PETICIÓN POPULAR

LA SEÑORITA ENCARNITA dio una palmada y su moño se tambaleó. Yo me quedé observándolo, pensando que saldrían polillas de su interior.

–¡Atención, clase!

Todos adoptaron una actitud expectante, como perritos que esperan un hueso.

–Supongo que ya os habréis recuperado de la sorpresa provocada por estos... –nerviosa, miró el enorme mastodonte que se cernía sobre ella, con sus afilados dientes de cartón–, estas maravillosas maquetas que tan amablemente Javi nos ha traído hoy.

–Yo no –balbuceó mi vecino, a quien logré cerrarle la boca con un buen pisotón.

–Porque –continuó la señorita Encarnita– es hora de entregar los premios.

Abrió un cajón de su mesa y sacó cinco medallas de aspecto oxidado que seguramente habría comprado en un todo a cien de la edad de piedra, cuando comenzó su carrera en la enseñanza. (Por cierto, en cuanto las vi caí en la cuenta de que el conductor de la furgoneta llevaba una exactamente igual colgando del espejo retrovisor, aunque con el lío del traslado yo la había tomado por un san Cristóbal).

–Empezaremos por el final, como siempre –anunció, descolgando la lista de la pared.

–¡Mejor trabajo *Cómo...*!

Lo creáis o no, este premio fue a parar al decorador de huevos duros de la primera fila.

–¡Mejor lectura!

Ese debería haber sido para mí. Yo siempre me llevo el premio a la mejor lectura en cualquier colegio. Pero en esta ocasión lo estropeé porque odiaba tanto nuestro libro de lectura (*Cómo crecieron seis pimientitos*) que, cuando la seño me hacía ponerme en pie, bajaba la cabeza, pateaba el suelo, avergonzado, y leía tan bajito que ella no me oía.

Así que no conseguí el premio. ¡Se me escapó!

–¡Mejor redacción!

Ese le tocó a Mari Mar, por supuesto. Sonriendo, se acercó hasta la mesa de la señorita Encarnita para recoger su desconchada medalla, la miró intensamente y entonces trató de lanzar uno de esos aburridos discursos que emiten por la tele.

–En primer lugar, quiero darle las gracias a mi ma...

Pero la señorita Encarnita la cortó con un tono bastante desagradable.

–Espero que nadie te haya ayudado a hacer la redacción ganadora, Mari Mar. Tenías que hacerla tú sola, ¿eh?

Entonces, Mari Mar se calló y regresó a su pupitre.

–¡Mejor ortografía!

Ese premio estaba cantado. Normalmente, yo también suelo conseguirlo. Pero Jorge es una bestia negra.

–¡Para Jorge! –exclamó la señorita Encarnita–. Aunque Martín habría podido ganar si hubiese quitado los pegotes de carne picada que me han impedido leer algunas palabras.

Si no quieren ese tipo de problemas, que no nos manden deberes para casa, ¿verdad?

–Y por fin, el último premio –dijo la seño sonriendo a Beatriz, quien le devolvió la sonrisa.

–Mejor trabajo de matem...

Yo tosí. Ella lo intentó de nuevo.

–Mejor trabajo de matemáti...

Yo volví a toser con más fuerza. Ella examinó la lista.

–¡Dios mío! –trinó–. Sabía que este año había un premio más. Pero no que lo hubiesen cambiado.

En voz alta, leyó lo que ponía en la lista.

–¡Mejor trabajo manual casero!

Y entonces se desató el caos.

–¡La telaraña! –chilló Beatriz.

–¡No! ¡No! ¡El mastodonte!

–Pero ¿qué dices? –gritó Jorge–. Ese elefantito es el mejor de todos.

–Yo daría todo lo que tengo por esta preciosa noria –afirmó Mari Mar con aire soñador.

–La verdad es que a mí me ha acabado gustando el pulpo –admití.

–¿También cuenta esa pantalla de lámpara hecha con biscotes?

–¡La torre de espaguetis!

–No es de espag...

La señorita Encarnita me interrumpió, frunciendo el ceño.

–Después de lo que estudiamos el año pasado sobre Egipto, creo que deberíais apreciar más esta bonita maqueta del Valle de los Reyes, ¿eh?

Mi gran error, por supuesto, había consistido en escribir *Mejor trabajo manual casero* en lugar de *Mejor manitas*, por ejemplo. Así que la discusión se alargó durante varias horas mientras Javi, aturdido, permanecía sentado.

Al final hicimos una votación. El astronauta de vasos de plástico ganó por mayoría aplastante, y Javi se levantó para recoger su medalla con una sonrisa tan grande como la del mastodonte.

–¡Felicidades, Javi!

La maestra depositó la deslucida medalla en una de las manos de mi vecino de pupitre. Él la contempló como si se tratara de una joya maravillosa. Y luego, apretándola y cerrando los ojos con gesto de auténtico éxtasis, abrazó a la señorita Encarnita.

–¡Javi! ¡Tontín! –exclamó ella. Pero se notaba que estaba encantada–. Ya sabía yo que tenías talentos ocultos. Y ahora que ya sé cuáles son, recurriré a ti cuando necesite maquetas para explicar los problemas de matemáticas.

Cuando Javi se sentó, le propiné un codazo suave.

–¿Lo ves? –pregunté–. Las cosas se van arreglando. Si te pasas el tiempo construyendo pirámides, conos y tetraedros, la seño no te dará tanto la lata con si lo entiendes o no.

Al oír aquello, su sonrisa se hizo aún mayor.

–Bueno, ya es hora de recibir a nuestras visitas –nos dijo a continuación la señorita Encarnita retocándose el moño (me imagino que para que las polillas volvieran a su sitio).

Una de sus manos estaba ya en el pomo de la puerta cuando, de pronto, Javi se acordó.

–¡Señorita Encarnita! ¿Y el premio especial?

Ella se giró.

–¡Uuuuy! ¡Se me olvidaba! Y ahora –proclamó, sacando otra medalla del cajón–, por petición popular y voto secreto, ¡el premio especial! ¡Para el mejor compañero de la clase!

Y entonces me miró a mí.

Como yo apostaba por Beatriz, esperé.

Y esperé.

Y esperé.

Y, finalmente, la señorita Encarnita dijo:

–Bueno, ¿no vas a recogerla?

–¿Quién? ¿Yo?

–¿A quién estoy mirando si no?

Como un estúpido (puesto que Javi y yo estábamos sentados en la última fila), miré a mi espalda.

–Me estoy refiriendo a ti –insistió la seño.

–¿Yo? –repetí–. ¿El mejor compañero? ¿Yo?

–Yo también me quedé un poco sorprendida –admitió la señorita Encarnita–. Pero fue una votación democrática, y en todas las papeletas excepto en una ponía tu nombre.

Observé a mis compañeros. Estaban sentaditos como si no hubiesen roto un plato en sus vidas, y me contemplaban con rostros ingenuos y resplandecientes. Mientras me dirigía a la pizarra, sospeché de todo. Pero la medalla que la señorita Encarnita me entregó ni explotó ni hizo una pedorreta ni me echó un chorro de agua en plena cara.

Era un premio auténtico. En serio. Un premio auténtico.

No penséis que no estoy acostumbrado a recibirlos, porque no es verdad. Aquí donde lo veis, Vicente Martín ha ganado premios en varios colegios del mundo por leer, escribir e incluso por recitar mejor que nadie una canción de cuna armenia. (Bueno, eso fue de pura chiripa). Pero nunca por ser el alumno más popular de la clase, el compañero más alegre o alguna tontería por el estilo.

Contemplé la medalla. «El mejor compañero de la clase». Francamente, he estado en colegios en los que ser el mejor compañero significaba que no escupías en tus deberes todos los días, que no prendías fuego a tus deportivas o que no le pegabas una paliza a nadie. Y en algunos probablemente le darían la medalla al que te ayudase a destrozar las sillas o a enterrar los cadáveres.

Pero en La Mansión Araiz (Escuela Mixta) ganar aquel premio era como ganar una medalla olímpica. Aquellas personas no eran malos bichos. Eran buenas. Y amables. Y simpáticas. Y muy generosas.

No lo pude evitar. Intuía que iba a decir algo digno de Beatriz, y las palabras se me escaparon.

–La guardaré como un tesoro.

La señorita Encarnita me dio un empujoncito afectuoso y yo regresé a mi sitio. Mientras me abría paso entre los pupitres, advertí que en cada uno había una maqueta de inconfundible estilo Javi. Robots, espantapájaros y cohetes: ese tipo de cosas.

–¿Has estado comprándome votos? –le pregunté suspicazmente a Javi cuando llegué a mi asiento.

–¿Por qué iba a comprarte votos? Yo no sabía que me ibas a hacer un manual de supervivencia en el colegio.

–¿Cómo lo has adivinado? Lo llevaba con tanto secreto que ni siquiera lo he colocado en el expositor –repliqué bastante desconcertado.

Javi se dio unos golpecitos en la nariz. Luego metió una mano en la cajonera, sacó la mampara y la instaló en el pupitre. Justo cuando parecía que ya había terminado, levantó una solapa oculta en un lado, después otra, y después corrió un panel circular.

–¡Espejos! –exclamé yo.

–He aquí un periscopio de acción lateral.

–¡Qué ingenioso!

–Funciona como un reloj.

(Si hubiese estado arruinado, habría vendido a aquel chico a los servicios secretos).

–Bueno, entonces es absurdo esconderlo por más tiempo, ¿no? –le dije, sacando mi *Cómo sobrevivir en el colegio* de la cajonera de mi pupitre.

–Sí, la verdad es que sí.

Se lo entregué.

–Espero que te ayude, Javi.

Él lo cogió y lo contempló igual que había contemplado la medalla. Abriéndolo, pasó las hojas de una en una. Y se detuvo en los rectángulos que yo había estado tanto tiempo contando, midiendo y dibujando; los rectángulos que, pintados de brillantes colores, se extendían ordenada y alegremente por cada página, desde el principio hasta el final.

En la contraportada había escrito con unas mayúsculas cuadradotas:

¡A PARTIR DE AHORA
PUEDES HACER LO QUE SE TE DA BIEN
DURANTE TODO EL DÍA!

(Había decidido poner aquellas palabras mágicas –«lo que se te da bien»– en alguna parte del cuaderno).

Javi estaba supercontento.

–No tengo por qué limitarme a los rotuladores –comentó–. Podría echar pegamento en un rectángulo y pegar purpurina, hojas secas o…

–Ya veo que será un lío, como siempre –repliqué.

Pero Javi no me escuchaba. Había levantado la cabeza para comprobar que los padres entraban en clase como un torrente.

–¡Mamá! ¡Papá! ¡Rápido! ¡Venid aquí!

Y ya estaba alardeando antes de que atravesaran la mitad del aula.

–¡Mamá! ¡He ganado un premio! ¡Mira, una medalla!

Pensé que su madre iba a reventar de orgullo. El señor Pastor cogió la medalla de su hijo y la inspeccionó con respeto.

–¡Eh! ¡Tu tatarabuela consiguió una igual!

¿Cuánto tiempo llevaría dando clase la señorita Encarnita? ¿Mil años?

Luego, Javi puso su *Cómo sobrevivir en el colegio* bajo las narices de sus padres.

–¡Y mirad lo que me ha regalado Martín para animarme!

Yo me retiré antes de que los Pastor me besaran. No esperaba a mis padres porque prácticamente desde la primera circular del colegio me había dado cuenta de que todas iban dirigidas a unos tales señores Vicente (¿quiénes serían, por cierto?); así que tenía motivos para tirarlas a la basura, ¿no?

Sin embargo, mi padre había oído hablar de la fiesta en la pastelería del pueblo, pero como no podía abandonar sus milhojas en el horno, no pudo asistir. En lo que se refiere a mi madre, le dio el soplo el conductor de la furgoneta, que buscaba una excusa para volver cuanto antes a La Mansión Araiz (Escuela Mixta). Claro que, cuando mi madre le dijo al portero que era la señora Martín, la mandaron a otra clase, donde se quedó encantada con lo que vio.

–¿No te has dado cuenta de que yo no estaba allí? –le pregunté por la noche.

–Pues claro que me he dado cuenta. Pero creía que te habías escondido porque te avergonzabas de esa preciosa redacción que has escrito.

–¿Qué preciosa redacción?

–*Mi libro preferido: «Cómo crecieron seis pimientitos».*

A pesar de todo, no me libré de las visitas. El conductor de la furgoneta logró llegar hasta nuestra clase y se interesó mucho por mi trabajo.

–Excelente, Vicente –repetía una y otra vez mientras pasaba las hojas de mis cuadernos–. Se ve que aquí te has esforzado mucho. Y aquí también. Sí, ya veo que te has esforzado mucho.

Luego se acercó a la señorita Encarnita para contarle a qué se había dedicado los últimos cien años y para comentarle que, aunque resultaba evidente que yo necesitaba practicar más las divisiones, me estaba portando muy bien.

–Oh, sí –replicó ella–. Aunque debo admitir que su *Cómo sobrevivir en el colegio* ha sido un tanto decepcionante.

–Sí, estoy de acuerdo con usted. Yo también creo que se ha tomado demasiadas libertades con el espíritu del proyecto.

–Sí, ha sido bastante travieso...

–Pero no importa demasiado, ¿no? En casi todo lo demás da la talla.

–Oh, sí –comentó la señorita Encarnita–. Estamos muy orgullosos de Martín.

–Yo estoy hablando de Vicente –dijo el conductor, un poco desconcertado.

–¿De Vicente? –preguntó la maestra, absolutamente confusa.

Como el conductor no quiso confundir a la dama que le había proporcionado los días más felices de su vida, se marchó. Yo podía haber aclarado las cosas, pero Mari Mar necesitaba ayuda para llevar la noria a la furgoneta. En las escaleras le pregunté algo que me seguía rondando por la cabeza:

–¿Te prometió Javi una maqueta si votabas por mí?

Con mucha calma, me miró directamente a los ojos y respondió:

–No.

–Pero te ha regalado una maqueta, ¿no?

–Sí.

–¿Y tú votaste por mí?

–Sí.

–¿Porque él te lo pidió?

–No –contestó.

Y después, notando que yo no me fiaba, añadió–: Te voté porque nos contó lo mucho que le has ayudado.

Me puse a reflexionar sobre aquellas palabras mientras Mari Mar iba a preguntarle al conductor de la furgoneta si no le importaba dejar la noria en su casa, y recoger algo suyo y entregárselo en justo pago a los Pastor junto al resto de las maquetas. Y decidí que si Javi se había tomado la molestia de contarle eso a todo el mundo, era porque realmente le había ayudado. Así que me merecía el premio.

Supongo que si nos quedamos en este antro de mala muerte durante mucho tiempo, alguna vez tendré que decirle a la señorita Encarnita cuál es mi verdadero nombre.

Aunque quizá no se lo diga. Después de todo, Martín es mucho más bonito que Vicente.

Y, pensándolo bien, también es más alegre.

TE CUENTO QUE MENGUAO...

... se llama en realidad Andrés. Le pusieron ese mote por fanfarrón y, como le gustó la idea de ir haciéndose cada vez más pequeño, lo adoptó. De niño, una vez un chaval se le presentó como el mejor dibujante del mundo y le dijo que era capaz de dibujar cualquier cosa. Aunque sospechaba que era mentira, la idea le fascinó. Su madre cuenta que era un poco desastre en los estudios y que el día que le vio coger un lápiz y no soltarlo respiró tranquila. Aunque no le gustaban mucho las clases en el colegio, hoy día sigue formándose en las cosas que le interesan.

Andrés Arcos Corretjé nació en Madrid en 1982. Es licenciado en Bellas Artes por la UCM y diplomado en Animación por la ESDIP. Desarrolla su trabajo en el mundo editorial ilustrando libros de texto y álbumes infantiles. También ha participado en proyectos de publicidad, cómic, piezas de animación y todo tipo de encargos.

Para saber más de Menguao, visita su web o su Instagram:

www.menguao.com

www.instagram.com/menguao

TE CUENTO QUE ANNE FINE...

... aprendió a leer a edad muy temprana, y la lengua y la literatura se convirtieron pronto en sus asignaturas favoritas. Empezó a escribir su primer libro cuando su hija mayor todavía era un bebé. Atrapada en su gélido apartamento debido a una tormenta de nieve, se vio incapaz de llegar a la biblioteca para buscar un libro, por lo que decidió empezar a escribir para calentarse y animarse un poco. Desde entonces son más de cuarenta títulos los que tiene publicados y ha sido traducida a más de treinta idiomas. Anne se dirige a todo tipo de público y edades. El humor y la ironía caracterizan la mayoría de sus obras.

Anne Fine nació en 1947 en el condado de Midlands, en el centro de Inglaterra. Ha ganado en dos ocasiones la Medalla Carnegie, el galardón más importante en Gran Bretaña para libros infantiles. Dos novelas suyas han sido adaptadas a cine y televisión: *Goggle-Eyes* y *Madame Doubtfire*.

Si te ha gustado este libro, visita

LITERATURA**SM**•COM

Allí encontrarás:

- Un montón de libros.
- Juegos, descargables y vídeos.
- Concursos, sorteos y propuestas de eventos.

¡Y mucho más!

Para padres y profesores

- Noticias de actualidad, redes sociales y suscripción al boletín.
- Propuestas de animación a la lectura.
- Fichas de recursos didácticos y actividades.